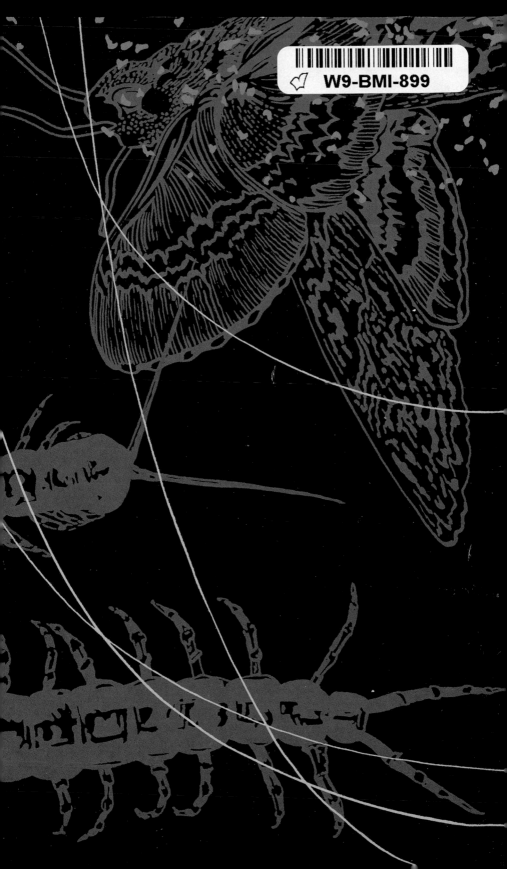

L'ÉTRANGE
BIBLIOTHÈQUE

DU MÊME AUTEUR

La Course au mouton sauvage, Seuil, 1990 ; Points, 2013
La Fin des temps, Seuil, 1992 ; Points, 2013
Danse, danse, danse, Seuil, 1995 ; Points, 2013
Après le tremblement de terre, 10/18, 2002
Au sud de la frontière, à l'ouest du soleil, Belfond, 2002 ;
  10/18, 2003
Les Amants du Spoutnik, Belfond, 2003 ; 10/18, 2004
Kafka sur le rivage, Belfond, 2006 ; 10/18, 2007
Le Passage de la nuit, Belfond, 2007 ; 10/18, 2008
L'éléphant s'évapore, Belfond, 2008 ; 10/18, 2009
Saules aveugles, femme endormie, Belfond, 2008 ; 10/18,
  2010
Autoportrait de l'auteur en coureur de fond, Belfond, 2009 ;
  10/18, 2011
Sommeil, Belfond, 2010 ; 10/18, 2011
La Ballade de l'impossible, Belfond, 2007 ; rééd. 2011 ;
  10/18, 2009
1Q84 (Livre 1, avril-juin), Belfond, 2011 ; 10/18, 2012
1Q84 (Livre 2, juillet-septembre), Belfond, 2011 ; 10/18,
  2012
1Q84 (Livre 3, octobre-décembre), Belfond, 2012 ; 10/18,
  2013
Chroniques de l'oiseau à ressort, Belfond, 2012 ; 10/18,
  2014
Les Attaques de la boulangerie, Belfond, 2012 ; 10/18, 2013
Underground, Belfond, 2013 ; 10/18, 2014
L'Incolore Tsukuru Tazaki et ses années de pèlerinage, Belfond,
  2014 ; 10/18, 2015

HARUKI MURAKAMI

L'ÉTRANGE
BIBLIOTHÈQUE

*Traduit du japonais
par Hélène Morita*

Illustrations de Kat Menschik

belfond

Titre original :
FUSHIGI NA TOSHOKAN (THE STRANGE LIBRARY)
publié par Kodansha, Tokyo.

Retrouvez-nous sur
www.belfond.fr
ou www.facebook.com/belfond

Éditions Belfond,
12, avenue d'Italie, 75013 Paris.
Pour le Canada,
Interforum Canada, Inc.,
1055, bd René-Lévesque-Est,
Bureau 1100,
Montréal, Québec, H2L 4S5.

ISBN 978-2-7144-5955-8

Belfond | un département **place des éditeurs**

place
des
éditeurs

1

La bibliothèque était beaucoup plus silencieuse qu'à l'ordinaire.

Mes souliers neufs en cuir émirent des bruits secs et craquants quand je marchai sur le sol revêtu de lino gris. J'avais l'impression qu'il ne s'agissait pas de mes propres pas. Il me faut toujours pas mal de temps, il est vrai, pour m'habituer au bruit de mes chaussures neuves.

Dans l'espace réservé au prêt était assise une femme que je n'avais jamais vue, occupée à lire un ouvrage très épais. Un livre dont les pages déployées avaient une largeur considérable. On aurait dit qu'elle lisait à l'aide de l'œil droit la page de droite et de l'œil gauche la page de gauche.

« Excusez-moi », lui dis-je.

Elle reposa bruyamment son ouvrage sur la table, leva la tête et me regarda.

« Je viens rapporter ces livres », fis-je. Et je déposai sur le comptoir les deux volumes que je tenais dans les bras. C'était : *Comment construire un sous-marin*, pour l'un des deux, et *Souvenirs d'un berger*, pour l'autre.

Elle retourna la couverture des livres, vérifia la date limite de prêt. Bien entendu, j'étais parfaitement dans les temps. Je suis très scrupuleux et j'observe consciencieusement les

délais prescrits. C'est ce que ma mère m'a enseigné. Les bergers en font autant. Si un berger ne respectait pas les horaires, ses moutons seraient complètement affolés.

Elle imprima un vigoureux coup de tampon signalant « rendu » sur la carte de prêt puis retourna à sa lecture.

« Je cherche un livre…, déclarai-je.

— Descendez l'escalier, et puis à droite, répondit la femme sans lever la tête. Avancez tout droit jusqu'à la salle 107. »

2

Je descendis un long escalier, tournai à droite et, une fois que j'eus suivi un couloir obscur et rectiligne, je tombai en effet sur une porte munie d'une plaque portant le numéro 107. J'étais venu dans cette bibliothèque je ne sais combien de fois, mais ce sous-sol, c'était tout nouveau pour moi.

Je frappai à la porte, un *toc-toc* parfaitement ordinaire, pourtant résonnèrent alors partout alentour des échos sinistres, comme si j'avais cogné la porte de l'Enfer à l'aide d'une batte de base-ball. Je me retournai, pris d'une forte envie de m'en aller et de rentrer chez moi. Mais je ne m'enfuis pas. J'étais discipliné. Quand on a frappé à une porte, on doit attendre qu'on vous réponde.

J'entendis une voix à l'intérieur qui disait : « Entrez ! » Une voix grave, mais qui portait bien.

J'ouvris la porte.

Dans la pièce, il y avait une petite table ancienne derrière laquelle était assis un vieillard de taille modeste. Son visage était constellé de minuscules taches noires, on aurait dit des mouches. Il portait des lunettes aux verres aussi épais que des loupes. Il était chauve, mais pas totalement, car il lui restait des touffes de cheveux blancs frisottés, plaquées sur les côtés de son crâne. Le tableau évoquait une montagne après un violent incendie de forêt.

« Bienvenue, jeune homme ! fit le vieillard. Que puis-je pour toi ?

— Je cherche des livres, commençai-je d'une voix peu assurée. Mais vous avez l'air occupé, je pourrai revenir une autre fois…

— Pas du tout, voyons, je ne suis absolument pas occupé, répondit le vieillard. Mon travail consiste justement à chercher des livres ! »

Je me dis qu'il avait une drôle de façon de parler. Une façon de s'exprimer tout aussi bizarre que son visage, d'ailleurs. De longs poils lui sortaient des oreilles. La peau de son menton pendait vers le bas, comme un ballon dégonflé.

« Quels sont les livres dont tu es en quête, jeune homme ?

— J'aimerais savoir comment on récoltait les impôts dans l'Empire turc ottoman », déclarai-je.

Les yeux du vieillard étincelèrent. « Ah, ah, très bien, la levée des impôts dans l'Empire ottoman, tu dis ? Voilà qui est du plus haut intérêt. »

3

Je me sentais extrêmement mal à l'aise. Pour être franc, je n'avais pas réellement envie de connaître la manière dont on récoltait les impôts dans l'Empire ottoman. C'était uniquement que la question m'avait traversé l'esprit alors que je revenais de l'école. *Tiens, au fait, comment s'y prenait-on, dans l'Empire ottoman, pour collecter les impôts ?* Rien de plus. Et que, depuis tout petit, j'avais été éduqué à me rendre à la bibliothèque et à y faire des recherches dès que j'ignorais quelque chose.

« Non, mais vous savez, ça ne fait rien…, bredouillai-je. C'est un sujet tellement spécialisé, alors, il n'y a pas vraiment de nécessité… »

En fait, ce que je souhaitais, c'était m'enfuir au plus tôt de cet endroit déplaisant.

« Ne raconte pas n'importe quoi ! répliqua le vieillard d'un air offensé. Ici, nous possédons bien entendu plusieurs ouvrages traitant de la levée des impôts dans l'Empire ottoman. Mon petit jeune homme, tu es venu dans cette bibliothèque dans le but de te moquer de nous ?

— Non, absolument pas, me hâtai-je de répondre. Je n'ai jamais eu cette intention.

— Dans ce cas, attends-moi ici, bien sagement.

— Oui », fis-je.

Le vieillard tout voûté quitta sa chaise, puis il ouvrit une grosse porte métallique située au fond de la pièce et disparut. Moi, je restai debout là où j'étais, et j'attendis son retour dix minutes environ. Quelques bestioles noires tourbillonnaient autour de l'abat-jour de la lampe.

Le vieillard revint enfin avec, dans les bras, trois gros volumes. Tous terriblement anciens, semblait-il. Une odeur de vieux papier se répandit dans la pièce.

« Alors, regarde bien ! s'écria le vieil homme. *Le Système fiscal dans l'Empire ottoman*, et puis : *Journal d'un percepteur de l'Empire ottoman*, et encore : *Les Révoltes fiscales dans l'Empire ottoman et leur répression*. Tu vois que nous ne manquons pas de documentation sur le sujet !

— Je vous remercie », déclarai-je poliment en m'inclinant. Je pris les trois livres et m'apprêtai à quitter les lieux.

Le vieillard m'interpella dans mon dos. « Hé là ! Attends voir ! Ces ouvrages, il est interdit de les emprunter. »

4

À bien y regarder en effet, une marque rouge au dos de chacun de ces livres signalait que le prêt était prohibé.

« Si tu désires les lire, tu pourras le faire là-bas, dans une pièce spéciale. »

Je consultai ma montre. Il était cinq heures vingt. « Mais la bibliothèque va bientôt fermer, et puis ma mère va s'inquiéter si je ne suis pas rentré pour le dîner. »

Les longs sourcils du vieil homme se rapprochèrent au point de ne faire plus qu'un. « L'heure de fermeture, ne t'en occupe pas. Ici, on fait ce que je dis. Est-ce que par hasard ma bienveillance te laisserait indifférent ? Dans quel but, à ton avis, suis-je allé chercher ces trois livres si lourds ? Dis-moi ? Pour faire du sport ?

— Je vous demande bien pardon, fis-je en guise d'excuse. Je ne voulais pas du tout vous causer de dérangement. Mais

j'ignorais que ces livres n'étaient pas disponibles pour le prêt. »

Le vieil homme eut une toux grasse et cracha dans un mouchoir en papier. Sous l'effet de la colère, les taches noires de son visage enflèrent et tressautèrent.

« Ce que tu sais ou ne sais pas ne m'intéresse en rien ! dit-il. Moi, vois-tu, à ton âge, j'étais heureux quand je réussissais à avoir quelque chose à lire. Et toi, tu es là à me débiter des sornettes à propos de la bibliothèque qui va fermer ou de ton retour tardif pour le dîner ?

— C'est entendu. Je vais lire ici pendant une demi-heure », répondis-je. Dire non à quelqu'un, de façon claire et nette, cela n'a jamais été mon fort. « Mais ensuite, ce ne sera vraiment plus possible. Parce que, quand j'étais petit, j'ai été mordu par un gros chien noir alors que je revenais de l'école, et depuis, dès que je rentre à la maison avec un peu de retard, ma mère se met dans tous ses états. »

Le visage du vieillard s'adoucit légèrement.

« Tu restes donc ici pour lire ces livres ?

— Oui. Une petite demi-heure…

— Bon, eh bien, viens par là », dit le vieil homme, m'invitant d'un geste. De l'autre côté de la grosse porte, il y avait un couloir obscur. Une ampoule tout près de s'éteindre lançait çà et là des lueurs vacillantes.

5

« Tu me suis, compris ? » lança le vieil homme.

Très vite, le couloir se divisa en deux. Le vieillard tourna à droite. Nous avançâmes un peu, puis, de nouveau, il y eut un embranchement. Cette fois, le vieil homme s'engagea sur la gauche. Les tournants et les bifurcations se succédaient mais l'homme n'avait pas la moindre hésitation avant de prendre tantôt à droite, tantôt à gauche. Il ouvrait parfois une porte et nous avancions alors dans un couloir différent.

De mon côté, j'étais en pleine confusion. Enfin quoi ! C'était tout de même invraisemblable que les sous-sols de la bibliothèque municipale abritent un labyrinthe aussi gigantesque ! Les bibliothèques comme la nôtre doivent toujours jongler avec un budget insuffisant et ne disposent évidemment pas des fonds disponibles pour construire le plus petit des labyrinthes. Je songeai bien à poser une question à ce sujet au vieil homme mais, finalement, je m'en abstins, de peur d'être méchamment réprimandé.

Le labyrinthe finit pourtant par aboutir à une grande porte en fer, sur laquelle était placardé : SALLE DE LECTURE. Le lieu était aussi silencieux qu'un cimetière au plus profond de la nuit.

Le vieil homme sortit de sa poche un trousseau de clefs qui cliquetèrent quand il en sélectionna une. C'était une grande clef aux formes anciennes. Puis il l'introduisit dans la serrure, et après m'avoir lancé un regard lourd de sens, il la fit pivoter vers la droite. Il y eut un grand *clac*. La porte s'ouvrit avec des grincements terriblement désagréables, qui lancèrent des échos partout à la ronde.

« Bien bien… fit le vieil homme. Entre donc !

— Là-dedans ?

— Bien sûr.

— Mais… il fait complètement noir », protestai-je. Au-delà de la grande porte, c'était aussi sombre que si l'on avait creusé un trou dans l'espace cosmique.

6

Le vieillard se tourna vers moi et se redressa de toute sa taille. Subitement, il était très grand. Sous ses longs sourcils blancs, ses yeux luisaient comme ceux d'une chèvre à l'approche de la nuit.

« Toi, dis-moi, tu ne serais pas de nature à rouspéter pour un oui ou pour un non ?

— Non, pas du tout. Simplement, je crois que…

— Arrête de jacasser ! coupa le vieil homme. Pour moi, ce sont des bons à rien, ces ergoteurs qui se plaignent constamment et qui n'ont aucun égard pour ceux qui tentent de les aider !

— Pardon. » Je tentai ainsi de m'excuser. « Je suis d'accord. Je vais entrer là-dedans. »

Mais enfin pour quelle raison, je me le demande, disais-je et faisais-je le contraire de ce que je voulais vraiment ?

« À l'intérieur, tu rencontreras rapidement un escalier qui descend, dit le vieillard. Cramponne-toi bien à la rampe pour ne pas dégringoler. »

Je fis quelques pas précautionneux vers l'avant. Comme le vieillard avait refermé la porte, les lieux étaient absolument noirs. J'entendis cliqueter bruyamment la clef qui tournait dans la serrure.

« Pourquoi avez-vous fermé la porte à clef ?

— Cette porte doit toujours être verrouillée. C'est le règlement. »

Résigné, j'entrepris de descendre l'escalier. Un très long escalier. Un escalier si long qu'il aurait pu atteindre le Brésil. Une rampe en fer rouillée et délabrée était fixée au mur. L'obscurité était totale, il n'y avait pas la moindre lumière.

Pourtant, lorsque je parvins au bas des marches, je pus distinguer une légère lueur. Celle d'une faible ampoule électrique. La lueur était certes ténue mais elle suffit à me faire mal aux yeux, qui s'étaient habitués à la nuit. Quelqu'un vint depuis le fond de la pièce et me prit la main. C'était un petit homme, enveloppé dans une peau de mouton.

« Soyez le bienvenu, dit l'homme-mouton.

— Bonjour », lui répondis-je.

7

Une véritable fourrure de mouton recouvrait la totalité du corps de l'homme. Seule était pratiquée une ouverture pour le visage, et je vis deux yeux bienveillants qui me fixaient. Ce costume lui allait très bien. L'homme-mouton me dévisagea un moment puis il jeta un regard sur les trois volumes que je tenais dans les mains.

« Alors, comme ça, tu es venu ici pour lire ces livres ?

— Oui, en effet, répondis-je.

— Pour de vrai ? Parce que tu voulais vraiment lire ces livres ? »

La façon de parler de l'homme-mouton avait quelque chose d'étrange. Je restai muet.

« Veux-tu bien répondre correctement ! me pressa le vieillard. Hein ! Tu es venu ici parce que tu souhaitais lire ces livres. Dépêche-toi de répondre !

— Oui. Je suis venu ici parce que je voulais lire ces livres.

— Tu vois ! fit le vieil homme comme s'il triomphait.

— Cependant, Maître, intervint l'homme-mouton. C'est encore un enfant…

— Ça suffit ! » Le vieillard sortit brusquement de la poche arrière de son pantalon une courte baguette de saule et en cingla le visage de l'homme-mouton. « Accompagne-le à la Salle de lecture, et en vitesse ! »

L'homme-mouton eut l'air soucieux mais il se résigna à prendre ma main. La badine avait laissé une marque rouge au coin de sa bouche. « Eh bien, allons-y !

— Où ça ?

— À la Salle de lecture. Tu voulais lire ces livres, n'est-ce pas ? »

Me précédant, l'homme-mouton s'engagea dans un étroit couloir. Le vieil homme marchait sur mes talons. Sur l'habit que portait l'homme-mouton était fixée une petite queue qui oscillait vivement à chacun de ses pas, de droite à gauche, comme un pendule.

« Eh bien… », fit l'homme-mouton. Il s'immobilisa au bout du couloir. « Nous y voilà.

— Attendez, M. l'homme-mouton, dis-je. Ne s'agirait-il pas d'une prison ?

— Certes, en convint-il.

— En plein dans le mille ! » confirma le vieillard.

8

« Ce n'est pas ce que vous m'aviez annoncé ! déclarai-je au vieil homme. Vous m'aviez dit que nous nous rendions dans la Salle de lecture. Sinon, je ne vous aurais jamais suivi jusqu'ici !

— Il t'a roulé, fit l'homme-mouton.

— Oui, c'est ça, roulé ! répéta le vieillard.

— Enfin…

— Silence ! » s'écria le vieil homme, qui sortit de sa poche la baguette de saule et la fit tournoyer. Je reculai précipitamment. Je n'avais pas la moindre envie de recevoir un coup de badine.

« Entre là-dedans et plus un mot ! Ensuite, tu liras ces trois livres jusqu'à ce que tu les connaisses par cœur, dit le vieillard. Dans un mois, je viendrai personnellement te faire passer un examen. Et si tu connais le contenu de ces ouvrages sur le bout des doigts, tu pourras sortir d'ici. »

Je protestai : « C'est impossible de savoir par cœur trois livres aussi gros ! En plus, à l'heure qu'il est, ma mère doit être en train de s'inquiéter… »

Le vieillard montra les dents et abattit sa baguette vers le bas. Je m'écartai en vitesse et l'homme-mouton fut touché au visage. Fou de rage, le vieil homme le cravacha une deuxième fois. C'était affreux.

« Jette-moi donc ce petit vaurien là-dedans ! »

Sur ces mots, le vieillard s'en fut.

« Vous n'avez pas trop mal ? demandai-je à l'homme-mouton.

— Non, ça va. Vois-tu, j'ai fini par m'y habituer… », répondit-il. Effectivement, il ne semblait pas très affecté.

« Bon, maintenant, je dois te faire entrer là-dedans.

— Et si je disais non, si je refusais d'entrer dans cette pièce, que se passerait-il ?

— Ah, eh bien, j'aurais droit à une vraie rouste, c'est sûr ! »

J'eus pitié de l'homme-mouton et pénétrai docilement dans la prison. Il y avait là un lit tout simple, un bureau et un lavabo, et aussi des toilettes. À côté du lavabo étaient posés une brosse à dents et un verre. L'un et l'autre pas très propres. Quant au dentifrice, il était à la fraise, ce que je déteste. L'homme-mouton alluma et éteignit à plusieurs reprises la lampe posée sur la table. Puis il se tourna vers moi et me sourit.

« Allons, tu ne seras pas trop mal, non ? »

9

« Je t'apporterai trois repas par jour. Et il y a même des donuts pour le goûter de trois heures, m'expliqua l'homme-mouton. Tu sais, les donuts, c'est moi qui les fais frire. Du coup, ils sont bien croustillants, délicieux ! »

Les donuts, c'est une des choses au monde que je préfère.

« Bon, maintenant, lève une jambe. »

J'obéis.

L'homme-mouton tira de sous le lit un boulet de fer apparemment très lourd. Une chaîne le reliait à une ferrure avec laquelle il enserra ma cheville. Il verrouilla la serrure puis glissa la clef dans sa poche de poitrine.

« C'est terriblement froid ! dis-je.

— Ne t'en fais pas, tu t'y habitueras vite !

— Dites, M. l'homme-mouton, il faut vraiment que je reste ici pendant un mois ?

— Ma foi, oui.

— Mais si je sais par cœur ces trois livres, il me laissera sortir à la fin du mois ?

— Ah… ça, ce n'est pas sûr.

— Mais alors, qu'est-ce que je deviendrai ?

— J'ai un peu de mal à te l'annoncer, en fait…, répondit l'homme-mouton, gêné.

— Je vous en prie, dites-moi la vérité ! Ma mère m'attend à la maison et se fait du souci…

— Pour être franc, on va te découper le haut du crâne avec une scie. Après, on t'aspirera le cerveau. »

J'étais tellement éberlué que pendant quelques instants je fus incapable de dire un mot. Enfin, j'ouvris la bouche.

« Et ce sera le vieil homme qui m'aspirera le cerveau ?

— Oui, en effet », articula l'homme-mouton avec difficulté.

Je m'assis sur le lit, m'enfouis le visage dans les mains.
Pourquoi devais-je subir une telle épreuve ? Alors que
j'étais simplement venu à la bibliothèque emprunter des
livres !

L'homme-mouton tenta de me consoler : « Ne sois pas
aussi découragé. Je vais maintenant t'apporter à manger.
Tu vas voir, avec un bon repas bien chaud, tu retrouveras
des forces !

— Dites, M. l'homme-mouton, fis-je. Pour quelle raison
le vieil homme veut-il m'aspirer le cerveau ?

— Eh bien, lorsque le cerveau est bourré de savoir, il
est particulièrement délicieux. Nutritif et consistant. Bien
crémeux, riche en pulpe.

— C'est pour cela que dans un mois, quand j'aurai
emmagasiné toutes sortes de connaissances, il viendra l'aspirer ?

— Exactement.

— Mais c'est abominable, vous ne trouvez pas ? dis-je.
Enfin, avant tout, pour celui dont le cerveau va être aspiré !

— Tu sais, c'est plus ou moins ce qui se passe dans
toutes les bibliothèques. »

En entendant ces mots, je fus frappé de stupeur. « Quoi ?
Cela arrive dans toutes les bibliothèques ?

— Si elles se contentaient de fournir des connaissances
pour rien, quel serait leur bénéfice ?

— Oui, mais tout de même, je trouve que c'est dépasser
les bornes que de vous découper le crâne à la scie et de
vous aspirer le cerveau ! »

L'homme-mouton eut l'air embarrassé. « Pour tout dire, je crois que tu es né sous une mauvaise étoile. Ici-bas, ce sont des choses qui arrivent.

— Mais ma mère m'attend à la maison, elle se ronge les sangs. Vous ne pourriez pas me laisser m'échapper d'ici secrètement ?

— Ah non, c'est impossible. Si je faisais une chose pareille, comme châtiment, je serais enfermé dans un pot à chenilles. Je serais calfeutré dans une grande jarre en compagnie de dix mille chenilles durant trois jours.

— Oh, quelle horreur ! m'écriai-je.

— C'est pourquoi je ne peux te laisser partir d'ici. Même si je suis vraiment désolé pour toi. »

11

Une fois l'homme-mouton parti, je me retrouvai seul dans ma prison exiguë. Je me jetai à plat ventre sur le lit dur et sanglotai amèrement une bonne heure durant. Mes larmes finirent par tremper l'oreiller bleu, bourré de graines de sarrasin. Le boulet attaché à ma cheville était affreusement lourd.

Quand je jetai un coup d'œil à ma montre, je constatai qu'il était juste six heures et demie. En attendant mon retour, ma mère devait être en train de préparer le dîner. Elle faisait les cent pas dans la cuisine tout en regardant les aiguilles de la pendule. Si je n'étais pas encore revenu à l'heure du coucher, peut-être perdrait-elle vraiment la tête. Elle était ce genre de mère. Dès qu'il se passait quelque chose, son imagination se mettait en branle, toujours pour se figurer le pire. Soit elle laissait des scènes terribles s'emparer de son esprit, soit elle s'asseyait sur le canapé et regardait sans fin la télévision. C'était l'un ou l'autre.

À sept heures, on frappa à la porte. Un très discret *toc-toc*. « Entrez », répondis-je.

La clef fut tournée dans la serrure et une fillette entra dans la pièce en poussant une table roulante. Elle était si jolie que sa simple vue me fit mal aux yeux. Elle avait à peu près le même âge que moi. Des chevilles, des poignets et un cou si fins qu'on aurait pu les briser comme un rien. Sa longue chevelure lisse miroitait, on l'aurait dite constellée de pierreries. Elle me fixa du regard un moment et, sans prononcer un mot, elle posa sur la table les plats qui se trouvaient sur la desserte roulante. Sa beauté me laissa muet.

La nourriture avait l'air appétissante. Soupe à l'oursin, grillade de maquereau d'Espagne (accompagnée de crème aigre), asperges blanches assaisonnées au sésame, salade de concombre et de laitue, petits pains chauds, beurre. Les plats étaient fumants. Et il y avait aussi un grand verre de jus de raisin. Quand elle eut fini de tout disposer, la fillette se mit à me parler par gestes. « *Allons, cesse de pleurer. Mange à présent !* »

12

« Tu ne peux pas parler ? demandai-je à la fillette.

— *Non, mes cordes vocales ont été détruites quand j'étais petite.*

— Quoi ? Tes cordes vocales détruites ? répétai-je, stupéfait. Mais qui t'a fait ça ? »

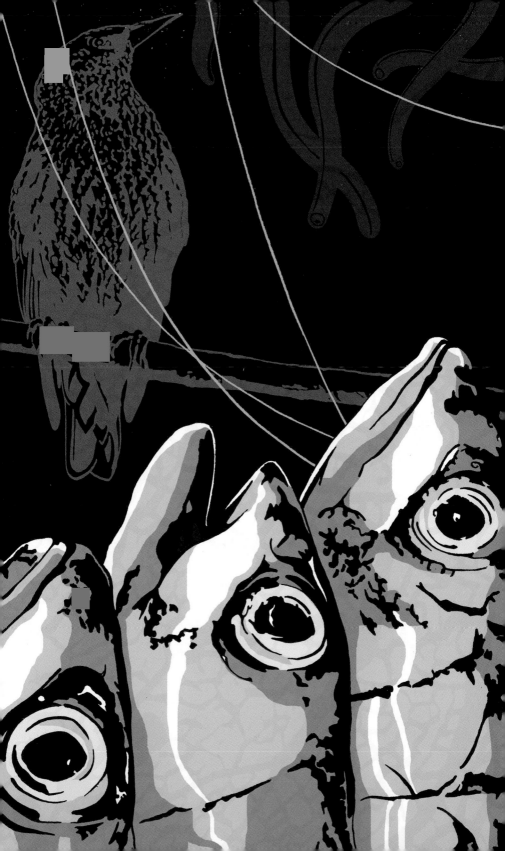

La fillette ne répondit pas à ma question. Elle se contenta de sourire gentiment. Mais c'était un sourire si radieux que l'air environnant en parut plus léger.

« *Je t'en prie, essaie de comprendre*, fit la fillette. *L'homme-mouton n'est pas méchant. Il a le cœur pur. Mais le vieil homme le terrifie.*

— Bien sûr, je comprends, répondis-je. Pourtant... »

La fillette s'approcha de moi et mit sa main sur la mienne. C'était une petite main, toute douce. Pour un peu, je crus que mon cœur, sans bruit, allait se briser en deux.

« *Mange pendant que c'est chaud*, fit-elle. *La nourriture chaude va te redonner des forces, tu verras !* »

Là-dessus, elle ouvrit la porte et sortit de la pièce en poussant la desserte devant elle. Ses mouvements étaient aussi aériens et doux qu'une brise de mai.

Les plats étaient délicieux mais je ne pus en avaler que la moitié. Si je ne rentrais pas à la maison, ma mère serait ravagée d'inquiétude, elle risquerait d'avoir encore une crise d'angoisse. Alors, elle ne nourrirait pas mon étourneau, qui pourrait bien mourir de faim.

Comment m'échapper d'ici pourtant ? J'avais un lourd boulet de fer attaché à la cheville, la porte était fermée à clef. Et même si je réussissais à sortir de la cellule, comment retrouverais-je mon chemin dans ce dédale de longs couloirs ? Je soupirai et me remis à pleurer. Mais je me dis que cela ne m'aiderait en rien de demeurer pelotonné à pleurer seul sur un lit. Aussi j'essuyai mes larmes et finis ce qui restait dans mon assiette.

13

Je m'assis ensuite à la table et entamai ma lecture. Il fallait avant tout que je déjoue la vigilance de mon adversaire. C'était ma seule chance de m'échapper d'ici. Je devais faire semblant de lui obéir docilement. Je me dis que ce n'était pas trop difficile. Parce que, de nature, j'ai toujours été très obéissant.

Je choisis d'abord l'ouvrage intitulé *Journal d'un percepteur dans l'Empire ottoman* et commençai à lire. C'était un livre ardu à déchiffrer car il était écrit en turc ancien, mais, étrangement, je parvins à le lire et à le comprendre sans peine. Et pas seulement, car chaque page du livre s'imprimait dans mon esprit, mot pour mot. Comme si mon cerveau, soudain, était capable d'absorber tout ce que je lisais.

Au fur et à mesure de ma lecture, je me transformai en ce percepteur turc nommé Ibn Ahmed Hashur, qui arpentait la cité d'Istanbul pour collecter les impôts, un sabre en demi-lune à la ceinture. L'air, saturé des parfums des fruits, des volailles, du tabac et du café, pesait sur la ville comme un fleuve stagnant. Assis au bord des rues, des marchands de dattes et de mandarines turques proposaient à grands cris leur marchandise. Hashur était un homme de caractère calme, qui avait trois femmes et six enfants. Chez lui, il élevait une perruche tout aussi mignonne que mon étourneau.

Peu après neuf heures du soir, l'homme-mouton vint m'apporter du chocolat et des biscuits.

« Oh, dis donc, c'est très bien ! Te voilà déjà au travail,

me dit-il. Fais donc une petite pause et bois ce chocolat bien chaud ! »

J'interrompis ma lecture, bus le chocolat, mangeai les biscuits.

« Dites, M. l'homme-mouton. La jolie petite fille qui est venue un peu plus tôt, qui est-ce ?

— De qui parles-tu ? Une jolie petite fille ?

— La fillette qui m'a apporté mon dîner.

— Ah, ça… c'est bizarre, répondit l'homme-mouton, l'air étonné. Voyons, ton dîner, c'est moi-même qui te l'ai apporté ! À ce moment-là, tu étais endormi dans ton lit. Et comme tu peux le voir, je suis un homme-mouton, pas une jolie petite fille. »

Avais-je rêvé ?

14

Pourtant, le lendemain soir, la mystérieuse fillette réapparut dans ma cellule. Cette fois, mon repas se composait d'une salade de pommes de terre garnies de saucisses de Toulouse, d'une épinoche à trois épines farcie, de jeunes pousses de radis, d'un grand croissant, et aussi de thé sucré au miel. Tout cela paraissait délicieux.

« *Prends le temps de déguster ton repas. Et n'en laisse rien,* m'expliqua par gestes la fillette.

— Dis-moi, qui es-tu vraiment ? lui demandai-je.

— *Moi, je suis moi, c'est tout.*

— Mais l'homme-mouton m'a dit que tu n'existais pas ! En plus… »

La fillette posa doucement un doigt sur sa bouche délicate. Je me tus à l'instant.

« *L'homme-mouton a son monde d'hommes-moutons. Moi, j'ai mon monde. Et toi, le tien. N'est-ce pas ?*

— Oui, sans doute.

— *On pourrait dire aussi que même si je n'ai pas d'existence dans le monde de l'homme-mouton, cela ne signifie pas que je n'ai aucune existence.*

— En somme…, commençai-je. Tous ces mondes différents se retrouvent mêlés ici. Ton monde, le mien, celui de l'homme-mouton. Parfois ils se chevauchent. Et parfois, non. C'est ce que tu veux dire ? »

La fillette hocha doucement la tête à deux reprises.

Je n'irais pas jusqu'à affirmer que je suis idiot. Simplement, depuis que j'ai été mordu par le grand chien noir, ma tête fonctionne sur un mode un peu particulier.

Pendant que je mangeais le repas disposé sur la table, la fillette, assise sur le lit, m'observait fixement. Sur ses genoux, ses petites mains étaient sagement posées l'une sur l'autre. Elle faisait penser à un exquis bibelot de verre baigné par la lumière du matin.

15

« J'aimerais bien te présenter un jour à ma mère et à mon étourneau, dis-je à la fillette. Mon petit étourneau est très intelligent et tellement mignon ! »

La petite fille eut un imperceptible mouvement de la tête.

« Ma mère aussi est gentille. Simplement, elle se fait un

peu trop de souci pour moi. C'est parce que, quand j'étais petit, j'ai été mordu par un chien.

— *Quelle sorte de chien ?*

— Un énorme chien noir. Il portait un collier en cuir incrusté de pierres précieuses, ses yeux étaient verts, ses pattes massives et chacune d'elles avait six griffes. Ses oreilles étaient fendues en deux à leur extrémité, et sa truffe était d'un brun foncé, comme s'il avait été brûlé par le soleil. As-tu déjà été mordue par un chien ?

— *Non, jamais*, fit la fillette. *À présent, oublie ce chien, et achève ton repas.* »

Je continuai à manger en silence. Puis je bus le thé chaud sucré au miel. Et je me sentis tout ragaillardi.

« Tu sais, il faut que je m'échappe d'ici, déclarai-je. Ma mère s'inquiète, j'en suis sûr, et je dois nourrir mon étourneau.

— *Quand tu te sauveras, tu m'emmèneras avec toi ?*

— Bien sûr, répondis-je. Mais est-ce que j'y arriverai ? J'ai ce boulet en fer attaché au pied, et les couloirs sont un vrai labyrinthe. En plus, si je disparais, l'homme-mouton sera cruellement puni. Parce qu'il m'aura laissé partir.

— *L'homme-mouton pourrait s'enfuir avec nous. Nous nous sauverions ensemble, tous les trois.*

— L'homme-mouton viendrait avec nous, tu crois ? »

La jolie fillette sourit gracieusement. Puis, comme la veille au soir, elle disparut par la porte à peine entrebâillée.

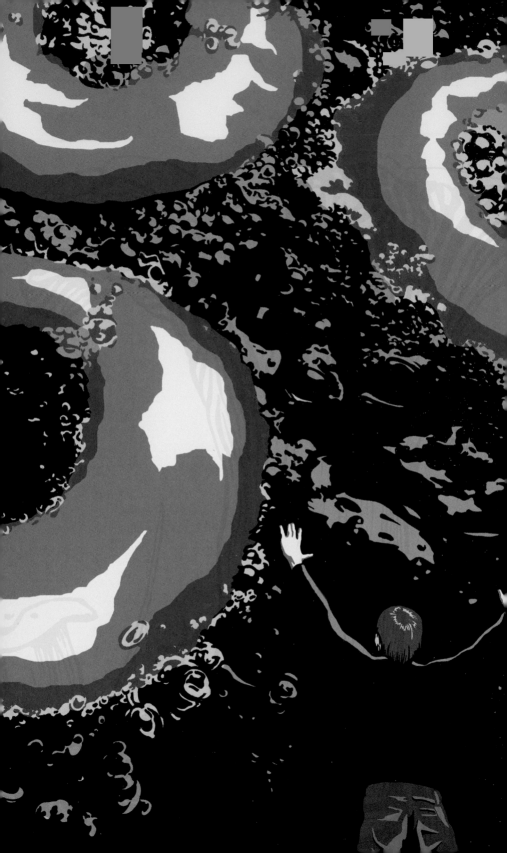

16

Alors que je lisais assis à ma table, j'entendis le bruit de la clef qui tournait dans la serrure, la porte s'ouvrit, et l'homme-mouton entra dans la pièce avec dans les mains un plateau de donuts et de la limonade.

« Je t'apporte des donuts comme je te l'avais promis. Ils viennent d'être frits et ils sont tout croustillants, fameux, tu vas voir !

— Merci, M. l'homme-mouton. »

Je fermai le livre et mordis aussitôt dans un beignet. La croûte était craquante, l'intérieur tendre et moelleux. Il était vraiment excellent.

« C'est la première fois que je mange un donut aussi savoureux ! dis-je.

— Je viens juste de les préparer, fit l'homme-mouton. Et même la pâte, c'est moi qui l'ai pétrie.

— Si vous vous établissiez quelque part comme pâtissier, je suis sûr que vous auriez un succès fou avec vos donuts !

— Oui, j'y ai pensé moi aussi. Ce serait bien si j'y arrivais...

— Je suis certain que vous le pourriez.

— Oui, mais avec mon allure, personne ne m'aime. Regarde de quoi j'ai l'air comme ça, et puis je ne sais même pas me laver les dents.

— Je vous aiderais, dis-je. Moi, je vendrais les donuts, je bavarderais avec les clients, je ferais les comptes, la publicité, la vaisselle, voilà, tout ça. Et vous, M. l'homme-mouton, vous n'auriez qu'à préparer les donuts. Et je vous apprendrais aussi comment vous laver les dents.

— Ce serait chouette ! » dit l'homme-mouton.

Une fois que l'homme-mouton fut sorti, je retournai à ma lecture. Au fur et à mesure que je lisais le *Journal d'un percepteur dans l'Empire ottoman*, je redevenais cet Ibn Ahmed Hashur, chargé de recouvrer les impôts. Durant la journée, je parcourais les rues d'Istanbul pour récolter les taxes, et, le soir venu, je rentrais chez moi et nourrissais ma perruche. Dans le ciel nocturne, telle une faucille acérée, flottait la lune blanche. J'entendais au loin le son d'une flûte. Mon serviteur noir faisait brûler de l'encens dans la maison et, muni de tout petits tue-mouches, il chassait les moustiques autour de moi.

Dans ma chambre à coucher m'attendait une jolie fillette, l'une de mes trois épouses. C'était celle qui m'apportait le dîner dans ma cellule.

« *La lune est vraiment très bonne*, fit-elle. *Demain, ce sera la nouvelle lune – elle sera donc invisible et la nuit très noire.* »

Je lui dis que je devais nourrir la perruche.

« *Ne lui as-tu pas donné à manger il y a juste quelques instants ?*

— Ah, mais oui. Je viens de la nourrir », répondis-je, moi qui étais aussi Ibn Ahmed Hashur.

Le très mince croissant de lune, effilé comme un rasoir, nimbait d'étranges clartés le corps gracile de la fillette. C'étaient des lueurs envoûtantes.

« *C'est une bonne lune*, répéta la fillette. *La nouvelle lune changera notre destin.*

— J'aimerais bien. »

La nuit de la nouvelle lune se manifesta furtivement, sans bruit, comme un dauphin aveugle.

Ce soir-là, le vieil homme vint me rendre visite pour vérifier comment je me comportais. Il se montra ravi de constater que, assis à ma table, je lisais studieusement. Moi aussi, je ressentis un certain bonheur en le voyant heureux. Parce que, tout simplement, j'aime voir les gens heureux.

« C'est très bien », dit le vieil homme. Il se gratta furieusement le menton. « Tu travailles bien mieux que je l'aurais imaginé. Tu es un enfant admirable. Bravo, mon petit.

— Merci », répondis-je. J'aime bien aussi qu'on me félicite.

« Plus vite tu auras lu ces livres, plus vite tu pourras sortir d'ici », continua le vieillard. Puis il leva un doigt. « Tu as compris ?

— Oui, répondis-je.

— Y a-t-il quelque chose qui te contrarie ?

— Oui, dis-je. Est-ce que ma mère et mon étourneau se portent bien ? Je m'inquiète pour eux.

— Le monde suit son cours, déclara le vieil homme, l'air mécontent. Chacun songe à ses propres affaires, chacun mène sa vie à sa façon. Il en va ainsi de ta mère, bien entendu, et de ton étourneau, également. C'est la même chose pour tout le monde. Le monde suit son cours. »

Je ne comprenais pas très bien ce qu'il voulait dire mais je répondis docilement : « Oui. »

Un moment après que le vieillard eut disparu, la fillette entra dans la pièce. Comme toujours, elle entrouvrit à peine la porte et se faufila à l'intérieur.

« C'est la nuit de la nouvelle lune », dis-je.

La fillette s'assit paisiblement sur le lit. Elle paraissait extrêmement lasse. Son teint était plus pâle que jamais, elle semblait si fragile et transparente que je voyais presque le mur à travers elle.

« *C'est à cause de la nouvelle lune*, fit-elle. *La nouvelle lune nous dépossède de toutes sortes de choses.*

— Moi, non, j'ai juste les yeux qui me piquent un peu. »

La fillette observa mon visage et acquiesça avec un léger mouvement de la tête. « *Non, ça va, tu n'as rien. C'est pourquoi tout se passera bien pour toi, tu verras. Je suis sûre que tu réussiras à sortir d'ici.*

— Et toi ?

— *Ne t'inquiète pas pour moi. Sans doute ne pourrai-je pas partir avec toi, mais je te rejoindrai ensuite, c'est certain.*

— Mais si tu ne viens pas avec moi, je ne saurai pas retrouver mon chemin. »

La fillette ne répondit rien. Elle se contenta de s'approcher de moi et de me donner un petit baiser sur la joue. Puis, de nouveau, elle disparut par la porte à peine entrouverte. Je m'assis sur le lit et restai un long moment tout étourdi. Son baiser m'avait totalement bouleversé, au point que je ne pouvais plus penser à rien. Et puis, dans le même temps, mon angoisse se transforma en une angoisse qui n'était plus véritablement angoissante. Et toute angoisse qui n'est pas spécialement angoissante, au bout du compte, c'est une angoisse sans importance.

20

L'homme-mouton revint ensuite. Il portait un plateau débordant de donuts.

« Eh bien, tu fais une drôle de figure, comme si tu étais ailleurs ! Tu ne vas pas bien ?

— Non, je pensais seulement à quelque chose, répondis-je.

— Il paraît que tu veux te sauver cette nuit ? Tu as dit que je pouvais venir avec toi, c'est vrai ?

— Oui, bien sûr. Mais qui vous a dit ça ?

— Une petite fille que j'ai croisée dans le couloir tout à l'heure. Elle a dit que je pourrais venir avec toi. J'ignorais qu'il y avait par ici une fillette aussi jolie ! C'est une amie à toi ?

— Euh… oui, dis-je.

— Ah bon. Tu crois que moi aussi je pourrais avoir une amie aussi belle ?

— En partant d'ici, Homme-mouton, vous pourrez avoir des tas d'amies très belles, j'en suis sûr.

— Ce serait chouette, dit l'homme-mouton. Pourtant, si notre tentative de fuite se soldait par un échec, nous risquerions tous, toi comme moi, d'être très sévèrement punis.

— Très sévèrement punis, ça voudrait dire, par exemple, être enfermé dans un pot avec des chenilles ?

— Oui, ce genre de choses », répondit l'homme-mouton, l'air sombre.

J'en eus des frissons rien qu'à imaginer passer trois jours dans un pot en compagnie de dix mille chenilles. Mais cette angoisse s'évanouit je ne sais où, grâce aux donuts ; et aussi grâce à la douceur que m'avait procurée le petit baiser de la fillette. Je dégustai trois donuts et l'homme-mouton en mangea six.

« Si j'ai l'estomac vide, je ne suis bon à rien ! » se justifia-t-il. Puis, de ses doigts épais, il ôta le sucre qui restait collé à sa bouche.

21

On entendit quelque part une horloge sonner neuf heures. L'homme-mouton se leva, secoua à plusieurs reprises ses manches comme pour que son habit tombe le mieux possible. C'était l'heure du départ. Il retira le boulet de fer attaché à ma cheville.

Je sortis de la cellule et avançai dans le couloir obscur. J'étais nu-pieds, car j'avais laissé mes chaussures de cuir dans la prison. Sans doute ma mère serait-elle en colère si elle apprenait que je les avais abandonnées. C'étaient des chaussures en cuir d'excellente qualité, qu'elle m'avait achetées pour mon anniversaire. Mais je ne pouvais pas risquer de faire du bruit dans le couloir et de réveiller le vieillard.

Cette histoire de chaussures me trotta dans la tête jusqu'à ce que nous atteignions la grosse porte en fer. L'homme-mouton marchait devant moi. Il tenait une bougie dans la main. Comme il faisait la moitié de ma taille, j'avais ses deux oreilles qui se balançaient en rythme, de haut en bas, juste sous le nez.

« Dites, M. l'homme-mouton, fis-je à voix basse.

— Oui, quoi donc ? répondit-il dans un murmure.

— Le vieil homme a-t-il une bonne oreille ?

— Comme c'est la nouvelle lune, cette nuit, il doit être profondément endormi dans sa chambre. Mais, tu le sais, c'est un homme doté d'une extrême sensibilité. Alors, c'est très bien que tu n'aies pas pris tes chaussures. On peut toujours remplacer des chaussures, mais pas son cerveau, ni sa vie.

— Vous avez raison, M. l'homme-mouton.

— Si le vieillard se réveille et qu'il se mette à me battre avec sa baguette de saule, tout sera fini. Je ne pourrai plus rien pour toi. Quand il me cravache, je me sens impuissant. Comme si je n'avais plus aucune liberté.

— C'est une baguette de saule spéciale ?

— Euh… », fit l'homme-mouton. Il réfléchit un instant. « Je crois que c'est une baguette de saule tout ce qu'il y a de plus ordinaire. Mais je n'en sais rien, au fond. »

22

« Pourtant, quand il vous cravache avec cette baguette, vous êtes sans défense ?

— Voilà. C'est bien ça. Alors, tu ferais mieux d'oublier tes chaussures.

— D'accord. Je n'y pense plus », lui dis-je.

Nous continuâmes un moment à avancer sans parler dans le long couloir.

« Dis, fit l'homme-mouton, quelques instants plus tard.

— Oui ?

— Alors, ça y est, tu les as oubliées, tes chaussures ?

— Oui, je les ai oubliées », lui répondis-je. Pourtant, à cause de sa question justement, je me mis à y repenser, alors que j'avais tout fait pour me sortir cette histoire de la tête.

L'escalier était glacial, tout humide, et les angles des marches de pierre arrondies par l'usage. De temps à autre, je piétinais des choses étranges, peut-être des insectes. C'est vraiment désagréable d'avancer nu-pieds dans le noir. J'avais parfois la sensation d'avoir marché sur quelque chose de mou et de flasque, parfois de dur et de craquant. Je me dis que, décidément, j'aurais préféré avoir mes chaussures aux pieds.

Nous gravîmes le long escalier jusqu'en haut et atteignîmes enfin la grosse porte de fer. L'homme-mouton sortit de sa poche un trousseau de clefs.

« Il faut que j'ouvre très doucement. Pour ne pas réveiller le Maître.

— Oui », répondis-je.

L'homme-mouton introduisit la clef dans la serrure, il donna un tour vers la gauche. Il y eut un claquement sonore et il retira la clef. Après des bruits très discordants qui résonnèrent partout alentour, la porte s'ouvrit enfin. Une opération tout sauf silencieuse.

« Ensuite, il y a un labyrinthe très compliqué, dis-je.

— Oui, tu as raison, dit l'homme-mouton. C'est vrai, au fait, il y a un labyrinthe. Possible que je ne me souvienne pas très bien du chemin, mais je devrais m'en sortir tout de même. »

Quand je l'entendis prononcer ces mots, je fus saisi d'une légère anxiété. L'embêtant, avec les labyrinthes, c'est qu'on ne saura qu'à la fin si l'on a choisi le bon chemin ou pas. Et si en fin de compte on s'est trompé, il est en général trop tard pour repartir en arrière et recommencer. C'est le problème avec les labyrinthes.

23

Comme on pouvait s'y attendre, l'homme-mouton nous fit prendre bien des fois le mauvais chemin, et bien des fois nous revînmes sur nos pas. Petit à petit cependant, il semblait que nous nous rapprochions de notre but. De temps en temps, l'homme-mouton s'immobilisait, tâtait les murs avec un doigt qu'il léchait ensuite avec une grande concentration. Ou bien il se recroquevillait puis collait son oreille contre le sol. Ou encore il marmonnait je ne sais quoi aux araignées qui avaient tissé leur toile au plafond. Quand nous arrivions à une bifurcation, il se mettait à virevolter sur place comme un vent tourbillonnant. C'était sa manière à lui de retrouver son chemin dans ce dédale. Une manière certes bien différente de celle des hommes ordinaires.

Le temps s'écoulait inexorablement. Ce serait bientôt l'aube car la noirceur de la nuit se diluait peu à peu. Nous nous hâtâmes. Il fallait absolument que nous arrivions à la dernière porte avant le lever du jour. Sinon, le vieillard s'éveillerait et nous prendrait en chasse dès qu'il découvrirait que nous avions disparu.

« Sommes-nous dans les temps ? demandai-je.

— Oui, tout va bien. Ce sera simple comme bonjour désormais. »

À présent l'homme-mouton semblait en effet se souvenir du chemin. Nous tournâmes rapidement à un angle, puis à un autre, et enfin nous débouchâmes dans le dernier couloir rectiligne. Au bout, une porte, légèrement entrouverte. Une faible lueur se glissait dans l'interstice.

« Tu vois, je t'avais dit que je reconnaîtrais la route ! s'écria l'homme-mouton, tout fier. Maintenant, il ne nous reste plus qu'à passer cette porte. Et nous serons libres ! »

Lorsqu'il ouvrit la porte, le vieillard était là, qui nous attendait.

24

C'était là que je l'avais rencontré la première fois. La même pièce. La salle 107, située au sous-sol de la bibliothèque. Assis derrière la table, le vieil homme nous observait fixement.

À côté de lui se tenait un gros chien noir. Il portait un collier de cuir incrusté de pierreries. Il avait des yeux verts, des pattes énormes, chacune pourvue de six griffes. Ses oreilles étaient fendues à leur extrémité, sa truffe était de couleur brun foncé, comme brûlée par le soleil. C'était le même chien qui m'avait mordu il y avait de cela longtemps, très longtemps. Dans sa gueule, entre ses crocs, il tenait solidement mon étourneau, tout ensanglanté.

Je poussai involontairement un petit cri. L'homme-mouton dut me soutenir.

« Cela fait déjà fort longtemps que je vous attends, vous autres ! dit le vieillard. Pourquoi tant de retard ? Hein ?

— Maître, je peux tout vous expliquer..., commença l'homme-mouton.

— Tais-toi, imbécile ! » tonna le vieil homme. Il sortit sa badine de saule et l'abattit violemment sur la table. Les oreilles du chien se dressèrent, l'homme-mouton se tut. Le silence fut alors total.

« Et maintenant, dit le vieillard, qu'est-ce que je vais faire de vous ?

— Durant la nuit de la nouvelle lune, vous n'êtes donc pas plongé dans un profond sommeil ? demandai-je timidement.

— Ha, ha, ha..., ricana méchamment le vieillard. Petit insolent ! Je ne sais pas qui t'a raconté ça, mais non, je ne suis pas aussi prévenant ! Figurez-vous que je peux lire toutes vos pensées, aussi distinctement que si je voyais des pastèques dans un champ en plein jour ! »

Tout devint noir devant moi. À cause de mon étourderie, mon étourneau avait été sacrifié. Je n'avais plus de chaussures et je ne reverrais sans doute plus jamais ma mère.

« Toi ! fit le vieillard en pointant avec sa badine l'homme-mouton. Je vais te hacher menu comme chair à saucisse avec un bon tranchoir et tu serviras de nourriture aux mille-pattes ! »

L'homme-mouton se cacha derrière moi et se mit à trembler de la tête aux pieds.

25

« Et quant à toi, fit le vieillard en me désignant. Toi, tu vas faire une bonne pâtée pour chien. Je vais te laisser être dévoré lentement, tout vivant, par mon chien. Tu mourras en gémissant et en hurlant. Mais ton cerveau, je le garde pour moi. Bon, tu n'as pas lu les livres jusqu'au bout, alors il n'est pas complètement crémeux et nourrissant mais, tant pis, je m'en contenterai. Et je vais l'aspirer et le sucer jusqu'à la dernière goutte ! »

Le vieillard montra les dents et éclata de rire. Les yeux verts du chien brillèrent d'excitation.

Mais à ce moment, je m'aperçus qu'entre les crocs de l'animal, le corps de l'étourneau s'était mis à enfler peu à peu. Quand il fut aussi gros qu'un coq, il força les mâchoires du chien à s'ouvrir, à la manière d'un cric. Le molosse tenta d'aboyer mais il était déjà trop tard. Ses os se brisèrent, je les entendis qui craquaient en se dispersant. Le vieillard, affolé, cingla l'oiseau de sa badine. Mais il continuait à grossir. Lorsqu'il atteignit presque la taille d'un taureau, il accula le vieillard contre le mur et l'écrasa. Dans le petit espace, le tumulte de ses battements d'ailes était assourdissant.

« *Vas-y ! Sauve-toi !* » dit l'étourneau. C'était la voix de la petite fille.

« Et toi ? Qu'est-ce que tu vas faire ? demandai-je à l'étourneau qui était la petite fille.

— *Ne t'inquiète pas pour moi. Je te rejoindrai bientôt. Allons, dépêche-toi. Sinon, tu seras perdu pour toujours* », dit la petite fille qui était l'étourneau.

Je lui obéis. Je pris l'homme-mouton par la main et nous sortîmes de la pièce. Je ne me retournai pas.

Il n'y avait personne dans la bibliothèque à cette heure matinale. Nous traversâmes le hall, ouvrîmes une fenêtre de la Salle de lecture et sautâmes à l'extérieur. Courant à en perdre le souffle jusqu'au jardin public, nous finîmes par nous laisser tomber sur une pelouse. Je fermai les yeux, respirai profondément. Je restai longtemps les yeux clos.

Quand je soulevai de nouveau les paupières, l'homme-mouton n'était plus là. Je me levai et regardai partout alentour. Je hurlai : « Homme-mouton ! Homme-mouton ! » Personne ne me répondit. Les premiers rayons du soleil matinal éclairèrent les feuilles des arbres. L'homme-mouton, sans un mot, avait disparu. De même que s'évapore la rosée du matin.

26

Quand je revins à la maison, ma mère m'attendait, avec sur la table un petit déjeuner chaud qu'elle m'avait préparé. Elle ne me posa pas une seule question. Elle ne me demanda pas pourquoi je n'étais pas rentré après l'école, ni où j'avais passé les trois dernières nuits, ni pourquoi je n'avais plus de chaussures. Pour quelqu'un comme ma mère, c'était tout à fait exceptionnel.

Mon étourneau n'était plus là. Seule restait sa cage vide. Mais je ne demandai rien à ma mère. Je sentis qu'il valait mieux ne pas évoquer ce genre de choses. Vue de profil, ma mère semblait légèrement plus sombre que d'habitude. Mais peut-être n'était-ce qu'une impression.

Je ne retournai plus une seule fois à la bibliothèque municipale ensuite. Peut-être devrais-je aller trouver un responsable, lui expliquer ce qui m'était arrivé, lui dire qu'il y avait dans les sous-sols du bâtiment une sorte de prison. Parce que, sinon, un autre enfant pourrait connaître un jour la même mésaventure. Mais quand il m'arrive le soir de simplement apercevoir la bibliothèque, je sens mes jambes qui flageolent.

De temps en temps, je repense à mes chaussures de cuir neuves que j'ai laissées dans ma cellule. Je repense aussi à l'homme-mouton, et également à la jolie petite fille qui ne pouvait pas parler. Ont-ils vraiment existé ? Tout cela est-il vraiment arrivé ? Pour être franc, je l'ignore. Tout ce que je sais, c'est que mes chaussures et mon étourneau ont disparu.

Mardi dernier, ma mère est morte. Elle a succombé à une maladie dont on ignore la cause. Et ce matin-là, elle s'en est allée en douceur, simplement. Il y a eu un enterrement modeste et puis voilà, je me suis retrouvé tout seul. Ma mère n'était plus là. Mon étourneau non plus. Ni l'homme-mouton. Ni la petite fille.

Il est à présent deux heures du matin, tout est sombre. Je suis seul et je pense au cachot dans les sous-sols de la bibliothèque. Quand je suis seul, l'obscurité me paraît plus noire encore. Aussi noire que durant une nuit de nouvelle lune.

ÉVÉNEMENT

Après trente-sept ans, Haruki Murakami autorise enfin
la publication de ses deux premiers romans

Écoute le chant du vent, prix Gunzo 1979, et *Flipper, 1973*.

En librairie en 2016.

Composition et mise en pages
Nord Compo à Villeneuve-d'Ascq

Achevé d'imprimer en France par Chirat

N° d'impression : 201509.0085
Dépôt légal : novembre 2015